经典的艺术感染力是强大的

韩劲松

蕉溪闲试雨前茶　2007年　纸本　68cm×68cm

白云高卧与君闲　2008年　纸本　68cm×68cm

传统文人画艺术多着意于自我的修养以及理想人格的养成,借山水陶咏乎我。从徐雪村的山水世界中,我们能够感受到来自古老文化的文人气质以及对自然世界的淡泊宁静的心境,这里既有对远去的农业文明的守望,也包含了人与天合而为一的精神理想追求。在当今普遍浮躁的社会,静下来享受生命的过程,品味自然的韵味,会显得更为需要,因而也呈现出它的当代价值。

徐雪村的山水走的是黄宾虹的道路,这意味着他要付出比别人更多的心力才可能走进这座宝山,入之愈深才能见之愈奇。对大多数宗黄的画家来说,黄宾虹是一笔巨大的遗产,他留给今天研究的课题不少,可以切入的角度也很多。目前,从表面形貌模仿的人很多,粗头乱服,乍看很像,但却失于不够深入。徐雪村充分认识到黄宾虹山水画中传统文化的分量,以及笔墨中所承载的深厚博大的民族精神,那种注重内美、以浑厚华滋为基本特征的艺术给予他强烈的震撼。因此,徐雪村得力之处不在于从笔墨点画上师其迹,而是从内在与大师的精神融合汇通。多年来,徐雪村孜孜以求,不断从生活和传统中汲取营养,不断地完善自己的绘画技法,丰富自己的绘画语言。毕业于鲁迅美术学院后,他并没有满足,先后又进修、学习于中国艺术研究院第三届中国画名家班、中国画研究院龙瑞工作室研修班、中国画研究院龙瑞工作室山水画课题班。导师与名家相遇切磋,不仅开阔了眼界也提升了他的山水艺术品格,在此基础上逐渐形成了浑厚野逸而又温润儒雅的个人面貌。

徐雪村的作品看似无法却有法。他曾精研黄宾虹笔法、墨法之道,他把点线等形式加以纯化,透过点的节奏韵律传达大自然的性情的同时,让人感受到笔墨语言本身的绝妙表现力。画面中点墨纷披,无一处不活,山廓林峦层层积染,却无一处死墨,画面中能在实中求虚,密处得疏,线、形、墨、色融为一体,却又能脉络清晰,笔笔分明,所造之境各有其妙。比如有的画以色写墨,墨色相融,追求浓墨重彩的对比与相互生发,如《溪山兰若图》;有的画故意突破模式的简单画法,寥勾数笔,淡墨一染而过,迹简意远,如《空山无人,水流花开》;有的则反复数遍皴染,山石岩壑只剩一片模糊的意象,但却沉郁苍厚、意蕴博大,如《蜀山图》;有的通篇凝重浑穆、开阔大气,传达出心中之幽深气韵,如《溪山看煎瑟芝尘》。值得一提的是,最近徐雪村作为中国美术家协会组织的"江山行"写生活动的主持画家画了很多写生,之后随中国画研究院写生团赴四川大巴山采风,又来到辽南庄河山区写生数天。这给他的山水画创作带来了新鲜的气息,他开始结合各地的写生稿,进行山水形象的综合。这期间的作品《步云山居图》算是代表。在这幅作品中,他将巴山蜀水的雄奇峻峭之处,与辽南山水的茂林苍郁之妙融合一处,取"王维画物,不论四时"之意,创造性地表达了南北山水林木的气势、机趣,其风貌自有殊异之处。

作为一个立志于中国画创作的山水画家,在汲取传统文化营养的同时,又能把生活的感受与笔墨试验充分结合,相信在不断探索传统山水画的当代表现的道路上,徐雪村会取得更大的成绩。

红日映家山　2009年　纸本　60cm×96cm

奉题"半山草堂"主人画后

姜苇

徐兄雪村先生，陶养烟霞，隐于半山草堂，游心绘事，法自宾老而能出于蓝，不趋时流，弹丸脱手，逃离门径。雪村为人豪爽，常与友人论古说今，拔俗奔放，清茶好酒，以适豪情幽趣。登山临水，醉里挥毫，招手白云，常往还连海京华之间，与国手结伴，江山之行，云山空阔，林莽萧森，万里写生，其艺日进，画迹散布四海，声名日重，卓然名家。今日，把笔操琴者如林，名利场中，好者甚蕃，以此致富者亦众矣，然不趋时流者寡。雪村能脱离旧观而出新趣，洗刷颓靡，笔墨精深，到古人不到之处，炼性求道，心到笔随，非但手熟耳。

观其所作，营山造水，变化四季，高士优游，抱琴而吟。或奔滩巨壑，或岚雾杳冥，山高万仞，难窥其巅，绝谷幽润，深不可测，长松深篁，亭舍庵庐错落其间，以为隐者之居。山从笔转，水向墨流，妙在笔笔相生，能于繁密处见虚灵。

南田语：意者，从从能见之，从不能见。雪村深参画禅三昧，卷舒自如，灵气郁蒸，劲笔挥扫，连绵不绝，苍浑沉古，山川变幻，出于几案之间，直欲唤醒古人，独得象外之趣，决胜当下刻画之工，其意不在笔端，非出指腕，乃由心发也，故其妙处，不可名状。

品其画有四妙：妙在师古而笔法活脱，妙在繁密而气不壅塞，妙在积染而墨光灿烂，妙在狼藉而势走龙蛇。古人言：不落畦径谓之士气，不入时趋谓之逸格。倪高士亦云：作画不过写胸中逸气耳。画者难在精笔墨而知天机，出规矩而得气韵。雪村化机在手，元气浪漫，幽情逸骨自与凡笔不同，粗头乱服而不失其雅，尺幅片纸，千里规模，曲折变换，出没有无，正所谓烟云供养是也。

雪村雅好清怀，素壁有琴，号曰：听雪、吟风，深藏太古之音。余因琴而与雪村结缘，数年来，相交默契，千里赠画，墨华外晕，余赏无穷，故勉作数语，强解其意。观者自有所得，若能赏心，同游斯趣。

琴龛居士识于贝叶书屋

锦绣山川　2009年　金笺　184cm×163cm

03 徐雪村山水世界

秋山幽居图　2007年　纸本　68cm×68cm

半山草堂画余

——刍议传统的守望

徐雪村

现在上上下下都在讨论城市精神，城市精神自然也离不开文化的传承、文化土壤的积淀。非常不幸的是，我们很多人正在放弃自己的传统文化。

任何一种文化都需要有一个根本的支持，就是要有源，有出处，这个源就是传统文化。任何有悖于传统的东西都是无根之木、无源之水、空中楼阁。传统与创新，似乎已经成为当今永恒的话题，尤其是中国画，几乎没有一个画家，不是从传统中走出来的。但从研习传统绘画来说，有人反对有人赞同。赞同者大多对传统文化作了较深的探求，也对传统文化有了深深的情感。而反对者认为，传统绘画因袭陈旧，并简单地理解为固定的笔墨形式，忽略了传统绘画本质的东西。在对笔墨形式没有多少理解，了解没有多少，了解没有多深，作者传达的文化语境、心理状态没有多少理解的前提下，任意妄谈，都是徒劳的。这样的画家是不会走太远的，所画的作品也是经受不住后人评判的，可能大部分画家至今也没弄清楚古今画家在更大程度上的关联。

中国画本来就是一种诗情和语言文化的载体，是个人情怀和心灵状态的倾诉。传统思想和价值观是我们民族智慧的结晶，传统经典是我们民族心灵的庞大载体，这些是我们民族生存和发展的依据，是民族的凝聚力。你无论处于现代或古代，你的文化水准，你的道德水准，你对周围事物的观察力，无不影响着你的自我意识而产生审美思想的堆积，这是固存和恒定的。作为中国画家，我们一直认为不能放弃中国画传统。传统绘画是"以线造型"为艺术特征的表现方式，是经过千百年来诸多先贤画家总结出来的，是经得住历史考验的，符合国人哲学思想，是值得我们每一个有责任心的画家传承的，所以以流传至今不衰。对于传统绘画，也不能简单地理解为不需要写生、没有生活等等。写生是一种积累，对生活的感悟也同样是一种积累。这一点，不论是传统的守望者还是主张创新的画家，在创作的本质上应该是相同的。传统绘画的守望者，对祖先的文化有所了解，有所掌握，在汲取传统文化营养的同时，更容易在与现代意识的交融中，潜心探索并逐步找到自己的绘画语言，从而形成自己鲜明的个性。问题的所在，是我们真正继承过来的有多少，我们所要表现的东西能传达出来多少。如果我们放任传统文化在我们这一代消亡，我们将是历史的罪人，民族的罪人。所以我们更应该知道我们所应该肩负的传承使命。

庚寅七月二十三日于半山草堂

2008 纸本
136cm × 68cm
看花且未放杯闲

溪山会友 2010 纸本
68cm × 45cm

浅翠娇青笼烟湿　2010年　纸本　68cm × 68cm

读易图　2010 纸本
60cm×68cm

2007 纸本
136cm × 68cm
归棹

步云山居图　2006 纸本
300cm × 140cm

山居图 2010年 纸本 68cm×68cm

深山著书 2010年 纸本 68cm×60cm

半山草堂文

文／木　生
书／李至坤

　　半山草堂乃雪村先生之书画斋。寻观草堂，未见采草相结。无草之屋何以竟称草堂？非其谬，盖因草堂自古多属高隐之士为清居求雅而自谦之名也。所谓浩然放乎四海，平居以养其心。然心中草应不逊目中草。草自生平凡却可遍生方域，不争芳列却令世人皆识。取半山草堂之儒雅斋名，当得孤清远遥之纯粹境界。且草堂坐于华市山腰，内中玄物妙事应多。若超然步入草堂，奇缘殊难自知，久而久之，或不可欲得而得，不求功而功，不思名而名。

　　　　　　　　　　　　壬午年春日

2007 纸本　秋山云岫
136cm × 68cm

> 14

当代实力派画家作品精选

山水条屏 2007 纸本
136cm × 34cm × 2

烟霞自适 2010年 纸本 68cm×68cm

金沙江　2010 纸本
123cm × 146cm

2008 纸本
136cm × 68cm 月上大别山

金沙水拍云崖暖 2010年 纸本 145cm×190cm

皖山秋雨 2007年 纸本 136cm×68cm

步云山居图　2006 纸本
300cm × 140cm

2010 纸本 **蕉溪品茗**
68cm × 45cm

待寻闲事度佳辰　2008 纸本
136cm × 68cm

2010 纸本
68cm × 45cm
读书图

秋月 2007 纸本
136cm × 68cm

山高水长
2010 纸本
120cm × 96cm

此山高卧与君闲 2008 纸本
136cm × 68cm

2010 纸本 96cm × 60cm 岭上有白云

闲依小窗数落花 2008年 纸本 68cm×68cm

2010 纸本　蕉溪闲试雨前茶
96cm × 60cm

溪山积翠 2010 纸本
96cm×180cm

大别山日记 2007 纸本
180cm × 96cm

长桥赏月
2010年 纸本
28cm × 59cm

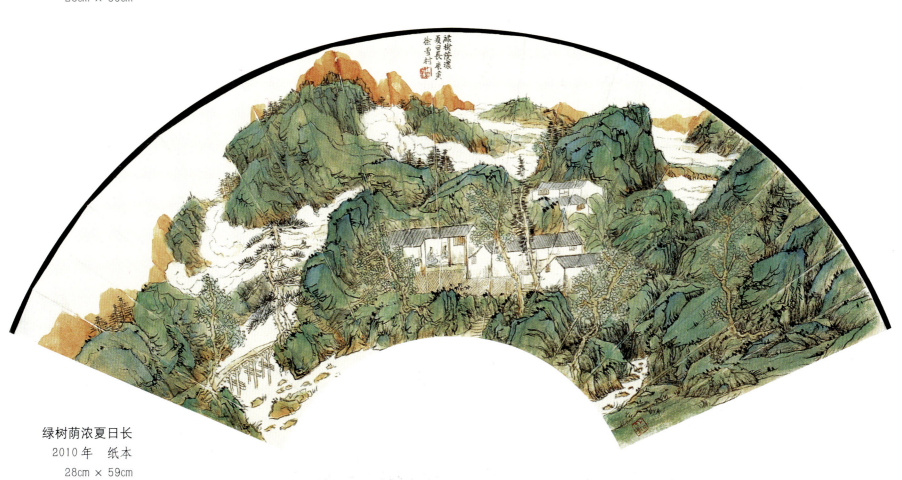

绿树荫浓夏日长
2010年 纸本
28cm × 59cm

溪山无尽
2010年　纸本
28cm × 59cm

溪山无尽
2010年　纸本
28cm × 59cm

清流
2010年　纸本
28cm × 59cm

林泉高致
2010年　纸本
28cm × 59cm

与夫人李新和导师龙瑞先生在中国美术馆

绕屋白云几家分
2010年　纸本
28cm × 59cm